Spielerisch Deutsch lernen

neue Geschichten

Lernstufe 1
Wortschatz und Grammatik

Autorin: Christiane Grosskopf
Illustrationen: Irmtraud Guhe

Hueber Verlag

Quellenverzeichnis
Illustrationen: Irmtraud Guhe, München

6.	5.	4.			Die letzten Ziffern
2026	25	24	23	22	bezeichnen Zahl und Jahr des Druckes.

Alle Drucke dieser Auflage können, da unverändert,
nebeneinander benutzt werden.
1. Auflage
© 2014 Hueber Verlag GmbH & Co. KG, München, Deutschland
Lektorat: Kerstin Zülsdorf, München
Umschlaggestaltung: creative partners gmbh, München
Layout und Satz: Sieveking • Agentur für Kommunikation, München
Redaktion: Hans Hillreiner, Hueber Verlag, München
Druck und Bindung: Passavia Druckservice GmbH & Co. KG, Passau
Printed in Germany
ISBN 978–3–19–159470–1

Art. 530_00531_001_04

Inhalt

Spielerisch Deutsch lernen – Wortschatz und Grammatik, Lernstufe 1 (vocabulary and grammar)

→ For children with basic reading skills
→ Aims: confidence in the use of nouns, articles, verbs, and adjectives; practice with simple sentence structures

Children who live in a German-speaking environment but whose mother tongue is not German, learn German as a second language. Our German language learning materials are especially designed for these children and offer a wealth of exercises to develop their knowledge of German. They will improve their language skills and enjoy themselves at the same time. The aim is that children acquire a solid basic vocabulary and adequate grammar skills.

→ The materials thematize everyday situations that children are familiar with. Each double page deals with a specific topic, for example, the family or doing your homework.
→ In additon each double page of Lernstufe 1, 2, and 3 deals with a particular grammar topic, such as prepositions of place, irregular verbs, and the comparison of adjectives. The materials are clearly structured; the grammar topics are explained and trained with the help of rules summaries and language awareness sections.
→ After every fourth chapter there is a double page "Kleine Wiederholung / Was ich schon auf Deutsch kann" (Repetition / Learning progress in German).
→ Self-explanatory symbols hint at the task in hand. For example, the pen icon means that a writing exercise follows, and the mouth symbol indicates a speaking exercise.
→ The colourful and funny illustrations support a strategy of learning by playing.
→ The simple and clear wording helps children, parents, teachers, and friends alike by making learning together easy.
→ At the back of the book there is an answer key with the solutions to all the exercises.

Spielerisch Deutsch lernen – Wortschatz und Grammatik (Lernstufe 1)
Aprender alemán jugando – Vocabulario y gramática (nivel 1)

→ Dirigido a niños que ya saben leer.
→ Objetivos: consolidación del uso de sustantivos, artículos, verbos y adjetivos, así como la práctica de oraciones de estructura sencilla (acusativo).

Los niños que viven en un entorno de habla alemana, no siendo ésta su lengua materna, aprenden el idioma como segunda lengua. Nuestros cuadernos de aprendizaje se dirigen a ellos. Les ofrecen de forma lúdica y atractiva una gran variedad de ejercicios que les permiten desarrollar sus conocimientos y capacidades para aprender alemán. El objetivo es crear una base sólida de conocimientos gramaticales y de vocabulario.

→ Los contenidos de aprendizaje del libro se presentan a través de situaciones de la vida cotidiana del niño y de sus propias experiencias. Cada doble página (izquierda y derecha) trata un tema concreto, por ejemplo la familia, la ropa, hacer los deberes, jugando en el parque, en el patio del colegio etc.
→ Los ejercicios van acompañados de pictogramas (p. ej., para "escribir" = un lápiz, o para "pintar" = un pincel). Las tareas que presentan mayor dificultad están marcadas en rojo (en los niveles 1, 2 y 3); de este modo los niños pueden realizarlas con mayor autonomía.
→ Cada cuatro capítulos se incluye una doble página "Kleine Wiederholung / Was ich schon auf Deutsch kann" (Repaso y control del proceso de aprendizaje en alemán).
→ Las ilustraciones en color son divertidas y atractivas y ayudan al niño a aprender jugando.
→ Los textos aclaran todos los contenidos importantes de una manera sencilla y fácil de comprender. Esto supone una ayuda tanto para los niños como para los adultos que colaboran en el aprendizaje (padres, maestros etc.).
→ Para reforzar el aprendizaje lúdico se incluye también (en los niveles 1, 2 y 3) un apéndice con las soluciones de los ejercicios.

Spielerisch Deutsch lernen – Wortschatz und Grammatik, Lernstufe 1 (słownictwo i gramatyka)

→ Dla dzieci umiejących czytać
→ Formy rzeczowników, rodzajniki, czasowniki i przymiotniki
→ Proste struktury zdania (biernik)

Dzieci żyjące w niemieckojęzycznym otoczeniu, których językiem ojczystym nie jest język niemiecki, uczą się niemieckiego jako drugiego języka. Z myślą o tych dzieciach stworzyliśmy nasze podręczniki do nauki języka. Oferują one szeroki wachlarz ćwiczeń, poprzez które dzieci te mogą – w formie zabawy – optymalnie rozwijać swoją znajomość języka niemieckiego. Celem nauczania jest przyswojenie sobie solidnych podstaw z zakresu słownictwa i gramatyki.

→ Materiał nauczania w naszych podręcznikach dotyczy sytuacji, które znane są dzieciom z ich życia codziennego oraz związane są z ich przeżyciami. Każda podwójna strona książki omawia określony temat, jak np.: rodzina czy też odrabianie zadań domowych.

→ Dodatkowo na każdej podwójnej stronie Lernstufe 1, 2 i 3 przerabiany jest jeden temat z zakresu gramatyki, jak np.: określenie miejsca, czasowniki nieregularne lub stopniowanie przymiotników. Zeszyty ćwiczeń posiadają przejrzystą strukturę, tematy z zakresu gramatyki objaśniane są za pomocą odpowiednich reguł i wskazówek.

→ Po każdych czterech rozdziałach znajdziemy podwójną stronę „Kleine Wiederholung / Was ich schon auf Deutsch kann" (Krótka powtórka / Co już potrafię powiedzieć po niemiecku).

→ Ćwiczenia opatrzone są symbolami (np. pisać = symbol ołówka, mówić = symbol ust). Trudniejsze zadania oznaczono kolorem czerwonym (Lernstufe 1, 2 i 3), co daje dzieciom możliwość samodzielnego rozwiązywania niektórych ćwiczeń.

→ Zawarte w książce teksty prezentują wszystkie ważne zagadnienia w prosty i zrozumiały sposób. Kolorowe ilustracje oraz gry i zabawy w formie wycinanek stanowią znakomitą pomoc naukową.

→ Na końcu książki znajdziemy rozwiązania do wszystkich ćwiczeń.

Spielerisch Deutsch lernen – Wortschatz und Grammatik, Lernstufe 1 (лексика и грамматика)

→ Для детей, которые уже могут читать

→ Формы существительных, артикли, глаголы и прилагательные

→ Простые структуры предложения (винительный падеж)

Дети, живущие в немецкоязычной среде, но с иным родным языком, учат немецкий язык как свой второй язык. Наши учебные тетради предназначены для этих детей и предлагают им красочное изобилие упражнений, которыми они могут оптимально совершенствовать свои знания во втором языке – игровым путем! Учебной целью является сооружение солидных начальных знаний в разделах Лексика и Грамматика.

→ Учебное содержание книг охватывает ситуации, знакомы детям из их будней и мира их переживаний. Каждый разворот посвящен определенной теме, например: семье, выполнению домашних заданий.

→ Дополнительно на каждом развороте Lernstufe 1, 2 и 3 объясняется грамматическая тема, например: указание места, неправильные глаголы и степени сравнения прилагательных. Рабочие тетради имеют четкую структуру, грамматические темы сопровождаются с помощью правил и указаний.

→ После каждой четвертой главы следует разворот для повторения: „Kleine Wiederholung / Was ich schon auf Deutsch kann".

→ Упражнения снабжены пиктограммами (например: писать = Пиктограмма карандаша, слушать = Пиктограмма рта), трудные задания обозначены красным цветом (Lernstufe 1, 2, и 3). Таким образом, дети могут прорабатывать упражнения также без чьей-либо помощи.

→ Красочные иллюстрации помогают детям в игровом обучении. Тексты объясняют все важные содержания простым и понятным путем. В дополнении имеются игры для вырезания (Lernstufe 1, 2, и 3), поддерживающие процесс обучения.

→ В конце книги представлены ключи ко всем упражнениям.

Spielerisch Deutsch lernen – Wortschatz und Grammatik, Lernstufe 1 (sözlük ve dil bilgisi)

→ Okumayı bilen çocuklar için

→ İsimler, isim ekleri (Artikel), fiiller, sıfatlar, basit cümle kuralları

Almanca konuşulan bir çevrede yaşayıp anadili Almanca olmayan çocuklar, Almancayı ikinci bir dil olarak öğreniyorlar. Bu öğrenim paketi çocukların bilgi ve becerisini geliştirmek için merak uyandırıcı ve eğlenceli bir oyun şeklinde hazırlandı. Amacımız çocukların kelime hazinesini ve dilbilgisini geliştirmek.

→ Bu kitaplardaki konular çocukların günlük hayatta yaşadığı ya da içinde bulunduğu durumlardan yola çıkılarak hazırlanmıştır. Örneğin: "Ders yapıyorum." demek ya da "Ben çocuk parkındayım." demek gibi.

→ Ayrıca bu kitaplarda dilbilgisi kuralları ile ilgili açıklamalar da mevcuttur. Bu açıklamalar aynı zamanda örneklendirilmiştir. Yazılı ve sözlü alıştırmalar kenarlarındaki logolarla gösterilmiştir: Yazılı alıştırmalarda kalem işareti, sözlülerde konuşma işareti. Çocuklar bu alıştırmaları hiçbir yardıma ihtiyaç olmadan kendileri yapabilirler.

→ Her dört konunun sonunda ikişer sayfada "Kleine Wiederholung / Was ich schon auf Deutsch kann?" bölümü vardır.

→ Sevimli ve renkli resimler çocukların oyun oynayarak öğrenmelerini sağlar. Metinlerde tüm önemli konular basit ve anlaşılır bir şekilde açıklanır.

→ Kitabın son bölümünde cevap anahtarı vardır.

Liebe Eltern, liebe Lehrerinnen und Lehrer,

dieses Heft eignet sich für Kinder im Grundschulalter, die schon lesen können. Durch die aktive Beschäftigung mit den Inhalten, zum Beispiel malen, zuordnen oder ergänzen, erwerben die Kinder auf spielerische, kindgerechte Weise solide Grundlagen in Wortschatz und Grammatik. Auch wenn die Kinder die Übungsanweisungen schon selbst lesen können, ist eine Unterstützung durch eine erwachsene Person mit Deutschkenntnissen ratsam.

Jedes der zwölf doppelseitigen Kapitel befasst sich mit einem anderen Thema aus der Erlebniswelt der Kinder (Familie, Schule, Essen und Trinken, Farben, Zahlen etc.). Auf ein Einstiegsbild mit Text, das das Thema vorentlastet, folgen abwechslungsreiche Übungen. So festigen die Kinder nicht nur ihre Deutschkenntnisse, sie machen sich auch fit für weitere Anforderungen des Schulalltags, indem sie ihre kognitiven und motorischen Fähigkeiten schulen. Nach jeweils vier Kapiteln folgt eine Doppelseite „Kleine Wiederholung / Was ich schon auf Deutsch kann". Hier wird das Gelernte wiederholt und verfestigt. Diese Unterteilung in kleinere Etappen erhöht nicht nur die Lernmotivation, sondern erlaubt auch hilfreiche Rückmeldungen zum Lernfortschritt. Als zusätzliche Entlastung begleitet die schlaue Eule Evelin die Kinder mit Erklärungen und Lerntipps durch das Buch. Zusammen mit dem Lösungsschlüssel im Anhang wird so selbstständiges Arbeiten gefördert. Trotzdem sollten Sie immer wieder einmal kontrollieren, damit sich keine Fehler einschleichen. Lassen Sie die Kinder aber Fehler ruhig selbst verbessern, denn nur so stellt sich ein optimaler Lernerfolg ein. Und Lernerfolge motivieren – deshalb können Sie die Kinder auch nicht oft genug loben! Auf diese Weise wird das kindliche Selbstvertrauen gefestigt.

Viel Spaß mit „Spielerisch Deutsch lernen" wünschen

Autorin und Verlag

Achte im Heft auf diese Zeichen:

 Hier sollst du etwas lesen oder anschauen.

 Hier sollst du etwas schreiben.

 Hier sollst du etwas malen.

 Hier sollst du etwas sagen.

3 Die roten Übungen sind etwas schwieriger.

 Die Eule Evelin gibt dir Tipps und erklärt dir Formen und Grammatik.

So kannst du auch sagen:

Grammatische Begriffe	auch	Beispiele
Zahlwort	Numerale	eins, zwei, drei, …
Verb	Tunwort, Tätigkeitswort, Zeitwort	schreiben, springen, essen
Artikel	Begleiter	der, die, das, ein, eine
Hauptwort	Nomen, Substantiv, Namenwort	Stift, Schere, Buch
Singular/Plural	Einzahl/Mehrzahl	das Buch/die Bücher
Adjektiv	Wiewort, Eigenschaftswort	dick, dünn, lang, kurz
Akkusativ	Nach diesem Satzteil fragst du mit „Wen oder was?" Beispiel: Amanda isst eine Wurst.	

Wie heißt du?
Wie alt bist du?

Sich vorstellen, Zahlen

1 Amanda, Murat, Paul, Linus, die Eule Evelin und Mister Fleck stellen sich vor. Schau dir die Seite genau an und lies die Sätze.

Und du? Wie heißt du? Wie alt bist du? Male ein Bild von dir oder klebe ein Foto ein.

2 Verbinde die Zahl mit dem passenden Zahlwort. Die Farben helfen dir dabei.

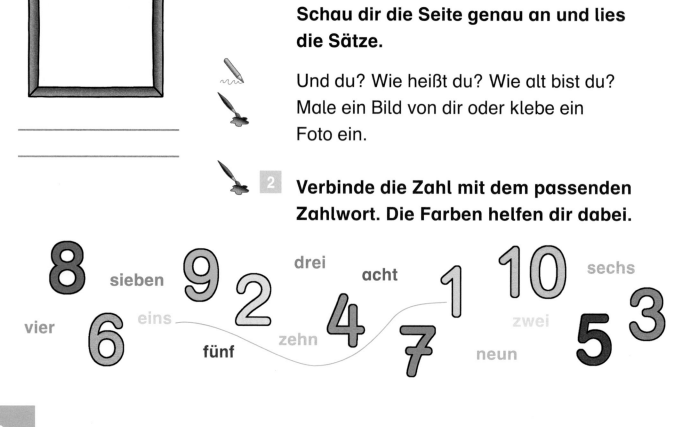

3 Beantworte die Fragen.
Die Antworten findest du gegenüber.

Fragen zum Alter stellen

Wie alt ist Amanda? Sie ist <u>acht</u> Jahre alt.

Wie alt ist Murat? Er ist _____ Jahre alt.

Wie alt ist Paul? Er ist _____ alt.

Wie alt ist Mister Fleck? Er ist _____ alt.

Wie alt ist Linus? Er ist _____.

Wie alt ist Evelin? _____.

Fragen	Antworten
Wie alt bist du?	Ich bin sieben Jahre alt.
Wie alt ist sie?	Hanni ist schon zehn Jahre alt.
Wie alt ist Deniz?	Er ist erst drei Jahre alt.

4 Schaue dir die Kinder gut an.
Ergänze die Sätze.

5 Maria

Das ist _____.
Sie ist _____ Jahre alt.

Willi 8

Das ist _____.
Er ist _____ Jahre alt.

Sara 7

Das ist _____.
Sie ist _____ Jahre alt.

6 Marlon

Das ist _____.
Er ist _____ Jahre alt.

Lene 4

Das ist _____.
Sie ist _____ Jahre alt.

Ali 9

Das ist _____.
Er ist _____ Jahre alt.

Mister Fleck 2

Das ist _____.
Er ist _____ Jahre alt.

Evelin 10

Das ist _____.
Sie ist _____ Jahre alt.

Und du? Wie alt bist du?
Ich bin _____.

Die Familie

Die Verben
„heißen", „sein" und „haben"

> Hier siehst du meine Familie. Das ist mein Vater. Er heißt Thomas. Meine Mutter heißt Vicki. Das ist mein Bruder Paul.

heißen

ich heiße
du heißt
er, sie, es heißt
wir heißen
ihr heißt
sie heißen

 1 Lies den Text. Ergänze die Sätze.

 Amanda sagt:

Ich heiße <u>Amanda</u>.

Mein Vater heißt _____.

Meine Mutter hei___ _____.

Mein Bruder he____ _____.

 2 Ergänze die Sätze.

 Wie heißt du?
 Ich h_____ Thomas.

 Wie hei___ du?
 Ich h_____ Vicki.

 Wie he___ du?
 Ich h_____ Paul.

3 Amandas Familie

Sind die Sätze richtig oder falsch? Kreuze an.

	richtig	falsch
Der Großvater heißt Günter.	☑	☐
Amandas Vater hat eine Schwester.	☐	☐
Amandas Mutter hat eine Schwester.	☐	☐
Amanda hat drei Tanten und vier Onkel.	☐	☐
Paul und Amanda haben einen Hund, Mister Fleck.	☐	☐
Paul und Amanda sind Bruder und Schwester.	☐	☐

4 Und du? Wie heißen die Personen in deiner Familie?

Mein Vater heißt _____. Meine Mutter heißt _____.

Mein Bruder _____. Meine Schwester _____.

Mein _____. Meine _____.

Schulsachen

Die bestimmten Artikel „der", „die" und „das"

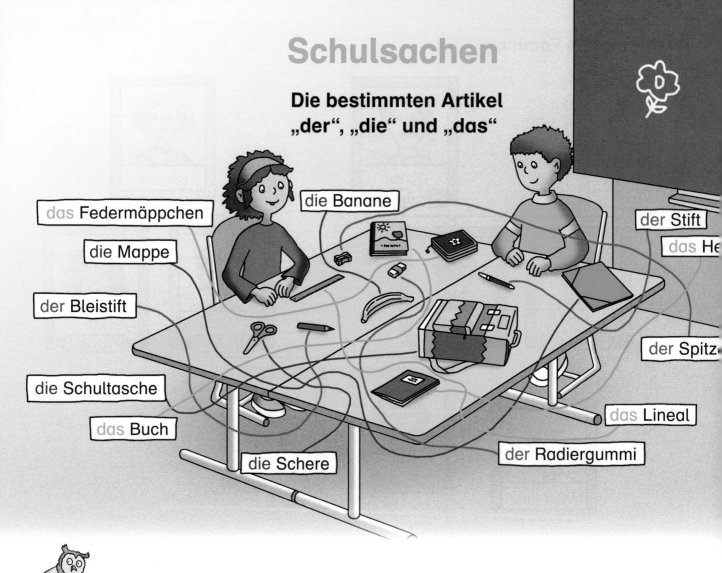

das Federmäppchen

die Banane

der Stift

das He

die Mappe

der Bleistift

die Schultasche

der Spitz

das Buch

das Lineal

der Radiergummi

die Schere

---

der, die, das

Der, die, das sind bestimmte Artikel. Sie stehen vor jedem Hauptwort.

→ der Füller
→ die Schere
→ das Lineal

Lerne der, die, das immer gleich mit, wenn du ein neues Wort lernst.

1 Amanda und Murat gehen in dieselbe Klasse. Hier sind ihre Schulsachen.

Finde das richtige Wort zu jeder Schulsache.

2 Schreibe die Wörter unter die Schulsachen. Denke an der, die oder das.

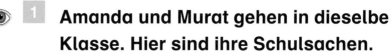 der Stift _____   ✂ ___ _____

 ___ _____   ___ _____

 ___ _____   ___ _____

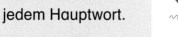 ___ _____    ___ _____

 ___ _____    ___ _____

3 Ordne die Schulsachen in die richtige Box.

| Federmäppchen | Lineal | Stift | Banane | Spitzer | Buch |

| Radiergummi | Heft | Mappe | ~~Bleistift~~ | Schultasche | Schere |

der

der Bleistift

_____ _____

_____ _____

_____ _____

die

_____ _____

_____ _____

_____ _____

das

_____ _____

_____ _____

_____ _____

4 Wie viele Schulsachen siehst du?

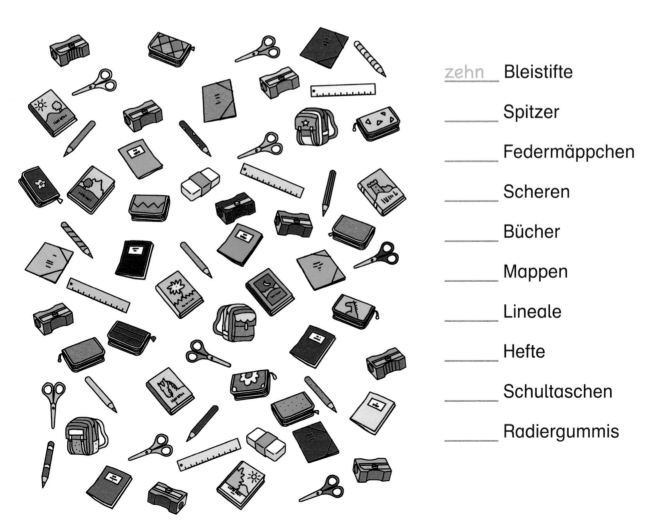

zehn Bleistifte

_____ Spitzer

_____ Federmäppchen

_____ Scheren

_____ Bücher

_____ Mappen

_____ Lineale

_____ Hefte

_____ Schultaschen

_____ Radiergummis

Das Klassenzimmer

Die unbestimmten Artikel „ein" und „eine"

ein, eine

Amanda fragt:
„Was ist das?"
Murat antwortet:
„Das ist eine Eule."

Das Wort eine ist ein unbestimmter Artikel.

der Stuhl
→ ein Stuhl
die Eule
→ eine Eule
das Regal
→ ein Regal

1 Betrachte das Bild.

Amanda und Murat sind im Klassenzimmer.
Amanda kennt noch nicht alle Wörter.

2 Was ist das? Schreibe die Antworten.

 Das ist _ein_ Poster.

Das ist _____ Regal.

 Das ist _____ Stuhl.

Das ist _____ Kreide.

 Das ist _____ Tisch.

Das ist _____ Globus.

 Das ist _____ Papierkorb.

Das ist _____ Landkarte.

 Das ist _____ Laptop.

Das ist _____ Tafel.

3 Ist das richtig?

Amanda und Murat spielen ein Spiel. Stimmt das alles?
Spiele dieses Spiel mit einer anderen Person.

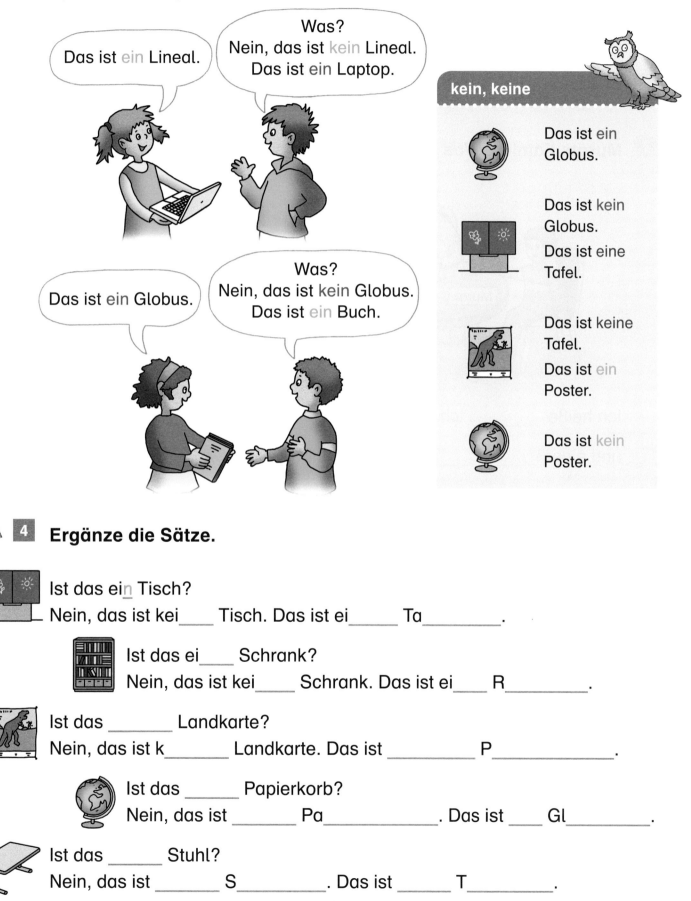

Das ist ein Lineal.

Was?
Nein, das ist kein Lineal.
Das ist ein Laptop.

kein, keine

Das ist ein Globus.

Das ist kein Globus.
Das ist eine Tafel.

Das ist keine Tafel.
Das ist ein Poster.

Das ist kein Poster.

Das ist ein Globus.

Was?
Nein, das ist kein Globus.
Das ist ein Buch.

4 Ergänze die Sätze.

Ist das ei<u>n</u> Tisch?
Nein, das ist kei____ Tisch. Das ist ei_____ Ta_____.

Ist das ei____ Schrank?
Nein, das ist kei____ Schrank. Das ist ei____ R_____.

Ist das _____ Landkarte?
Nein, das ist k_____ Landkarte. Das ist _____ P_____.

Ist das _____ Papierkorb?
Nein, das ist _____ Pa_____. Das ist ____ Gl_____.

Ist das _____ Stuhl?
Nein, das ist _____ S_____. Das ist _____ T_____.

Kleine Wiederholung

1 Wer ist das?

Das ist _____.

Er ist _____ Jahre alt.

7 Josef

10 Lina

Das ist _____.

Sie ist _____.

2 Murats Familie. Was sagt Murat?

Murat Hassan Kaya Ayse Berfin

Ich heiße _____. Ich habe einen Vater, eine Mu_____, einen Br_____

und eine Schw_____. Mein Vater heißt _____. Meine Mutter hei____

_____. Meine Schwester he___ _____. Mein Bruder h____ _____.

3 Was ist in Amandas Tasche?

der: die: das:

der Stift_____ _____ _____

_____ _____ _____

_____

4 Was ist das?

Ist das ein Tisch?

Nein, das ist k____ T____.

Das ist e___ P_____.

Ist das _____ Landkarte?

Nein, das ist k___ L_____.

Das ist _____ G_____.

16

Was ich schon auf Deutsch kann

**Schau dir die Sätze gut an und überlege, was du schon kannst.
Dann mache einen Haken in die richtige Box.**

Sprechen

Ich kann auf Deutsch sagen,

… wie ich heiße. ☐ ☐ ☐

… wie alt ich bin. ☐ ☐ ☐

… wie meine Freunde heißen. ☐ ☐ ☐

… wie alt meine Freunde sind. ☐ ☐ ☐

Ich kann fragen,

… wie jemand heißt. ☐ ☐ ☐

… wie alt jemand ist. ☐ ☐ ☐

Ich kann über meine Familie sprechen. ☐ ☐ ☐

Ich kann die Personen in meiner Familie benennen. ☐ ☐ ☐

Ich kenne die Artikel „der", „die" und „das". ☐ ☐ ☐

Ich kenne die unbestimmten Artikel „ein" und „eine". ☐ ☐ ☐

Ich kenne die negativen Artikel „kein" und „keine". ☐ ☐ ☐

Ich kenne die Wörter für meine Schulsachen. ☐ ☐ ☐

Lesen

Ich kann die Texte in den ersten vier Kapiteln lesen. ☐ ☐ ☐

Schreiben

Ich kann die Wörter in den ersten vier Kapiteln
schreiben. ☐ ☐ ☐

Hören

Ich verstehe die Texte, wenn sie vorgelesen werden. ☐ ☐ ☐

Ist es nicht toll, was du schon alles kannst? Ich bin sehr zufrieden mit dir!

der Vorhang

die Pflanze

der Blumentopf

das T-Shirt

Amanda und
Murat im Hort

Farben, Verben

der Ball

die Hose

das Kisse

das Sofa

Nach der Schule gehen Amanda und Murat
in den Hort. Dort machen sie Hausaufgaben
und später spielen sie. Johnny arbeitet im
Hort. Er ist sehr nett und hilft den beiden.

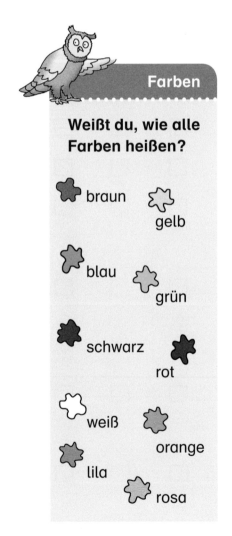

Farben

**Weißt du, wie alle
Farben heißen?**

braun

gelb

blau

grün

schwarz

rot

weiß

orange

lila

rosa

1 **Schreibe die richtige Farbe.**

Das Sofa ist _rot_ . Die Tafel ist _____.

Das Kissen ist ____. Der Blumentopf ist ____.

Die Pflanze ist ____. Johnnys T-Shirt ist ____.

Der Vorhang ist ____. Amandas Hose ist ____.

Der Stuhl ist _____. Murats Hose ist _____.

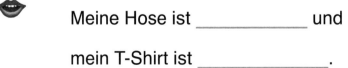

2 **Und du? Welche Farbe hat deine Kleidung?**

Meine Hose ist _____ und

mein T-Shirt ist _____.

3 **Wer macht was? Ergänze die Verben.**

singen

ich singe
du singst
er, sie, es singt

malen
ich mal_e_
du mal__
er, sie, es mal__

hören
ich hör__
du hör__
er, sie, es hör__

spielen
ich spiel__
du spiel__
er, sie, es spiel__

trinken
ich trink__
du trink__
er, sie, es trink__

Ordne die Buchstaben und schreibe die Verben.

Amanda tr_____ (rtiknt). Kaya _____ (rthö) ein Lied. Linus _____ (almt).

4 **Wer macht was?**

Verbinde mit dem passenden Bild und schreibe das Verb.

Mister Fleck _____ Musik.

Du _____ in dein Heft.

Linus spielt mit dem Ball.

Ich _____ ein Lied.

Er _____ an die Tafel.

 Sie _____ ein Glas Wasser.

19

Auf dem Schulausflug

Richtungen: links, rechts, geradeaus oder um die Ecke?

Heute fährt die Klasse auf einen Ausflug.
Alle Kinder freuen sich.

👁 1 **Schau dir die Geschichte gut an und lies den Text.**

Frau Sokoll geht durch den Bus.
Der Platz neben Amanda ist leer.
Sie fragt: „Wo ist Murat?"

Amanda sieht Murat.
Sie sagt zur Lehrerin:
„Da kommt Murat."

Jetzt sind alle Kinder da.
Murat sitzt links von Amanda.

Der Bus fährt los und die Kinder winken aus dem Fenster.

2   Wer ist wo? Kreuze das richtige Wort an.

Eule Evelin sitzt   ☐ rechts.

☐ links.

Mister Fleck sitzt   ☐ rechts.

☐ links.

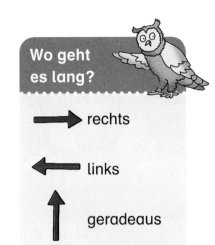

Wo geht es lang?

→   rechts

←   links

↑   geradeaus

⌐→   um die Ecke

3   Wo ist das Ziel?

Die Kinder sind in einem Labyrinth.

Rechts, links, um die Ecke oder geradeaus?
Wie kommst du in die Mitte?

Ich gehe ge_____. Dann gehe ich nach _____ und wieder
_____. Danach gehe ich nach _____ und _____.
Dann gehe ich l_____ um d____ _____ und wieder geradeaus.

Ich gehe nach _____ und _____. Jetzt gehe ich wieder nach
_____ und _____. Dann gehe ich _____ u_____.
Wie schön, jetzt bin ich in der Mitte angekommen.

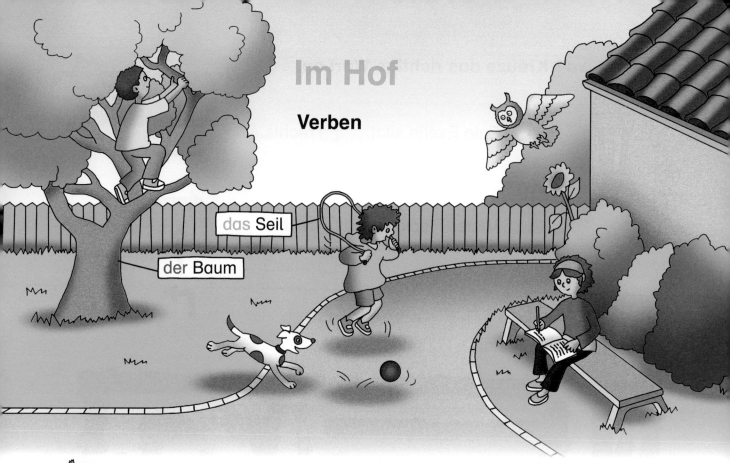

Im Hof

Verben

das Seil

der Baum

Verben

In jedem Satz steht ein Verb. Es zeigt dir, was jemand tut.

Mister Fleck rennt hinter dem Ball her. Paul springt mit dem Seil.

Hier sind ein paar Verben:

 schreiben

springen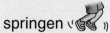

 fliegen

rennen

 klettern

 1 **Lies die Sätze laut. Schaue jetzt oben im Bild. Wer macht was? Finde die neuen Verben und unterstreiche sie rot.**

Amanda schreibt in ein Heft. Paul springt mit einem Seil. Murat klettert auf einen Baum. Mister Fleck rennt hinter dem Ball her. Über den Kindern fliegt Eule Evelin.

2 **Was machen die Leute?**

Suche das richtige Wort aus der Box und dem Text. Schreibe es in den Satz.

Amanda schreibt in ein Heft.

Er _____ auf einen Stuhl.

Eule Evelin _____.

 Mister Fleck _____ dem Ball nach.

 Sie _____ mit dem Seil.

Was passt wo?

Verbinde das passende Verb mit dem Bild und
ergänze die Endung.

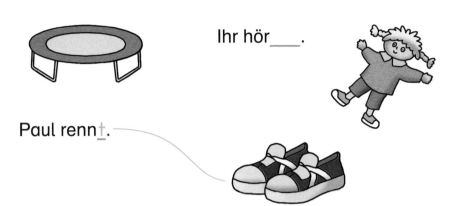

schreiben

**Schau dir die
Endungen
genau an.**

ich schreibe
du schreibst
er, sie, es schreibt
wir schreiben
ihr schreibt
sie schreiben

Ihr hör___.

Paul renn_t_.

Amanda und Murat spring___.

Wir flieg___.

Du schreib___.

Ich spiel___.

4 **Ergänze die Verben.**

Ich re_nne_ zum Ball.   Wir spr_____ auf die Tische.

Du sp_____ mit dem Ball.   Ihr h_____ Musik.

Er schr_____ in das Heft. Sie fl_____ mit dem Flugzeug.

 Und du? Was machst du gern?

_____

_____

_____

_____

Abendessen

Akkusativ,
die Verben „essen" und „trinken"

der Saft

die Wurst

der Hamburger

das Brot

der Tee

das Wasser

der Käse

Akkusativ

Bei den Verben essen und trinken und vielen anderen Verben steht der nachfolgende Gegenstand im Akkusativ.

Du fragst:
Wen oder was isst Paul?

Die Antwort ist:
Paul isst einen Hamburger.

Das ist ein Hamburger.
→ Paul isst einen Hamburger.

Das ist eine Wurst.
→ Amanda isst eine Wurst.

Das ist ein Brot.
→ Vicki isst ein Brot.

das Glas   die Tasse   die Flasche

1 **Amanda isst mit ihrer Familie zu Abend. Was essen und trinken sie? Ergänze die Wörter.**

Amanda isst eine Wurst und sie trinkt eine Tas_____ _____.

Ihre Mutter Vicki isst ein _____ mit Kä_____ und trinkt ein G_____ W_____.

Amandas Vater Thomas trinkt eine Fl_____ S_____.

Und Paul? Er isst einen _____.

24

2 **Wer isst was? Verbinde die Personen mit dem richtigen Verb und einem Lebensmittel.**

Ich	isst	
Du	essen	ein Brot.
Er	essen	
Sie	isst	
Es	esse	eine Pizza.
Wir	isst	
Ihr	isst	
Sie	esst	einen Hamburger.

essen

ich ess**e**
du **isst**
er, sie, es **isst**
wir ess**en**
ihr ess**t**
sie ess**en**

3 **Wer isst und trinkt was? Ergänze die Sätze.**

Amanda isst ein**e** W_____. Paul isst ein___ _____.

Vicki trinkt ____ _____ _____. Thomas trinkt ____ _____ ____.

Und Murat? Er hat großen Hunger!
Ergänze die Sätze. Achte auf den Akkusativ.

| die Pizza | die Birne | der Schokoriegel |
| das Eis | die Banane | der Apfel |

Murat isst eine Birne.   Murat _____ ____ _____.

Murat is___ _____ _____.   Murat ____ ____ _____.

Murat ____ ____ _____.   Murat _____.

4 **Bringe die Wörter in die richtige Reihenfolge.**

Mister Fleck – eine Wurst – isst
Mister Fleck isst eine Wurst.

Du – eine – trinkst – Tasse Tee
_____.

trinken – Saft – eine Flasche – Wir
_____.

isst – Du – Hamburger – einen
_____.

25

Kleine Wiederholung

 1 **Verbinde.**

Der Ball ist grün und schwarz.

Die Hose ist blau.

Der Blumentopf ist lila.

Das Kissen ist gelb.

 2 **Kreuze die richtige Person an.**

☐ Ich
☐ Ihr schreibe einen Brief.
☐ Wir

☐ Sie
☐ Du kletterst auf einen Baum.
☐ Ihr

☐ Ich
☐ Wir singt ein Lied.
☐ Er

☐ Er
☐ Du malen ein Bild.
☐ Wir

 3 **Ergänze die Sätze.**

 Du _____ ein Glas Wasser.

 Berfin _____ in ein Heft.

 Amanda _____ mit dem _____.

 Murat _____ ein _____.

 4 **Schreibe die Sätze.**

 Amanda _____ _____ _____.

 Murat _____ _____ _____.

 Paul _____ _____ _____ _____.

 Thomas _____ _____ _____.

Was ich schon auf Deutsch kann

**Schau dir die Sätze gut an und überlege, was du schon kannst.
Dann mache einen Haken in die richtige Box.**

Sprechen

Ich kann auf Deutsch

… sagen, was ich esse. .... ☐ ☐ ☐

… sagen, was ich trinke. .... ☐ ☐ ☐

… die Verben „schreiben", „klettern",
„singen", „malen", „hören", „fliegen",
„rennen", „springen", „essen" und
„trinken" verwenden. .... ☐ ☐ ☐

… viele Farben nennen. .... ☐ ☐ ☐

Ich kann fragen,

… wo etwas ist. .... ☐ ☐ ☐

… wohin ich gehen soll. .... ☐ ☐ ☐

Ich kann meine Kleidungsstücke benennen. .... ☐ ☐ ☐

Ich kenne den Akkusativ. .... ☐ ☐ ☐

Ich kenne die Wörter für ein Abendessen. .... ☐ ☐ ☐

Ich kann über das Einkaufen sprechen. .... ☐ ☐ ☐

Lesen

Ich kann die Texte in den ersten 8 Kapiteln lesen. .... ☐ ☐ ☐

Schreiben

Ich kann die Wörter in den ersten 8 Kapiteln schreiben. .... ☐ ☐ ☐

Hören

Ich verstehe die Texte in Kapitel 1 bis 8,
wenn sie vorgelesen werden. .... ☐ ☐ ☐

Du wirst schon immer besser. Du kannst schon viel. Ich bin stolz auf dich!

Einkaufen

Kleidung, Zahlen 10–20

der Mantel

das Kleid

die Mütze

der Pullover

die Jacke

11€   15€   16€   20€

Speech bubbles:

Schau Mama, das gefällt mir gut.

Nein Murat, das kostet 20 Euro.

Das hier ist schön. Es kostet nur 11 Euro.

Die Zahlen 10–20

10	zehn
11	elf
12	zwölf
13	dreizehn
14	vierzehn
15	fünfzehn
16	sechzehn
17	siebzehn
18	achtzehn
19	neunzehn
20	zwanzig

1 **Amanda und Murat sind auf dem Flohmarkt. Wie viel kostet was?**

Das T-Shirt (trihS-T) kostet dreizehn Euro.

Der _____ (letnaM) kostet _____ Euro.

Das _____ (dielK) kostet _____ Euro.

Die _____ (esoH) kostet _____ Euro.

Die _____ (eztüM) kostet _____ Euro.

Der _____ (revolluP) kostet _____ Euro.

Die _____ (ekcaJ) kostet _____ Euro.

18 €   12 €   13 €   11 €   17 €   19 €   15 €

2 Was ist richtig? Kreuze an.

	richtig	falsch
Amanda hat einen Mantel. Der Mantel ist blau.	☐	☑
Amanda hat einen Pullover. Er ist grün.	☐	☐
Murat hat eine Hose. Sie kostet neunzehn Euro.	☐	☐
Murat hat einen Pullover. Er kostet zwölf Euro.	☐	☐
Paul hat eine Jacke. Sie ist orange.	☐	☐
Paul hat eine Mütze. Sie ist gelb.	☐	☐

19 €

3 Male die Sachen von Amanda richtig aus und schreibe die Preise.

Die Hose ist grün.
Sie kostet 17 Euro.

Das T-Shirt ist rosa.
Es kostet 11 Euro.

Die Jacke ist lila.
Sie kostet 19 Euro.

Die Mütze ist gelb und schwarz.
Sie kostet 5 Euro.

19 €

4 Welche Farben haben Murats Sachen? Wie viel kosten sie?

12 €
20 €
15 €
16 €

Die Hose ist blau.
Sie kostet _____ Euro.

Das T-Shirt _____ _____.
Es kostet _____ Eu_____.

Die Jacke _____ _____.
Sie ko_____ _____ E_____.

Die Mütze _____ _____.
Sie _____ _____ _____.

Haustiere

der Hamster

die Eule

„mein", „dein", „sein" und „ihr"

die Maus

der Vogel

der Fisch

die Katze

der Hund

das Kaninchen

mein, dein

Mit „mein" oder „dein" sagst du, wem etwas gehört.

mein   **dein**

Die Endung ist genauso wie bei ein, eine, ein.

ein Hund – mein / dein Hund

eine Katze – meine / deine Katze

ein Kaninchen – mein / dein Kaninchen.

1 **Amanda und Mister Fleck besuchen Onkel Nils. Onkel Nils hat viele Haustiere. Lies den Text.**

Das sind meine Haustiere: mein Hamster, mein Kaninchen, meine Katze, mein Fisch und mein Vogel.

Das sind mein Hund und meine Eule. Da hinten ist eine Maus! Das ist nicht meine Maus!

Wie viele Haustiere hat Onkel Nils?

Er <u>hat</u> _____ Haustiere.

Wie viele Haustiere hat Amanda?

Amanda _____ _____ Haustiere.

2 Welche Haustiere gehören Onkel Nils und Amanda?

Das ist mein _____.

Das ist meine _____.

Das ist m____ _____.

Das ist nicht m_____ _____.
Er gehört Amanda.

Das ist dein _____.

Das ist d_____ _____.

Das ist nicht d_____ _____.

Das ist m____ _____.

3 Die Haustiere

Welche Farben haben die Tiere?
Ergänze den Text. Denke an die richtige Endung.

Sein Kaninchen ist braun.

_____ Goldfisch ist _____.

_____ Vogel ist _____.

_____ Katze ist _____.

Ihr Hund ist schwarz und weiß.

_____ Eule ist _____.

Und die Maus?

Das ist nicht _____ Maus.

sein, ihr

Bei einem Jungen
oder einem Mann
sagst du
sein Hamster,
seine Katze,
sein Kaninchen.

Bei einem Mädchen
oder einer Frau
sagst du
ihr Hamster,
ihre Katze,
ihr Kaninchen.

Amandas Zimmer

Plural

der Vogel
die Lampe
das Kissen
die Puppe
das Bild
der Wecker
das Bett
die Decke
der Teddy
der Stuhl
das Buch
der Teppich
die CD

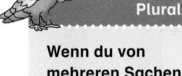

Plural

Wenn du von mehreren Sachen sprichst, nimmst du den Plural.

Im Plural wird der, die, das zu die.

Die Endung des Nomens verändert sich meistens.

der Teddy
→ die Teddys

die Decke
→ die Decken

das Bett
→ die Betten

das Bild
→ die Bilder

1 **Schau dir das Zimmer von Amanda genau an. Ergänze die Zahlen.**

Amanda hat <u>vier</u> Puppen.

Sie hat _____ Bücher.

Amanda hat _____ Decken.

Sie hat _____ Kissen.

Amanda hat _____ Teddys.

Sie hat _____ Vögel.

2 **Und du? Wie viele Sachen sind in deinem Zimmer?**

Ich meinem Zimmer sind:

ein Bett, zwei _____

_____

_____

3 **Sind es ein oder zwei Sachen?**
Ergänze die Wörter.

 die Puppe die Puppen

 _____ die Kissen

 _____  die Lampen

 der Teddy _____

 die Decke  _____

 _____ die CDs

 _____  die Betten

 das Zimmer   die Zimmer

 das Buch  _____

 _____ die Teppiche

 _____ die Wecker

 der Vogel _____

 _____ die Stühle

 _____ die Bilder

Tiere im Zoo

Adjektive

die Giraffe

der Löwe

das Zebra

der Elefant

der Bär

der Affe

die Schlange

das Nashorn

der Käfer

Adjektive

Adjektive sagen uns, wie etwas ist.

Der Elefant ist dick.
Das Zebra ist dünn.

Gegensätze

kurz
↕
lang

groß
↕
klein

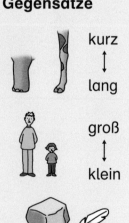

schwer ⟷ leicht

1 **Lies die Sätze. Verbinde jeden Satz mit dem richtigen Tier.**

Die Giraffe ist groß.

Der Affe ist klein.

Der Elefant ist dick.

Das Zebra ist dünn.

Die Schlange ist lang.

Der Käfer ist kurz.

Das Nashorn ist schwer.

Die Maus ist leicht.

2 Wie heißen die Tiere? Kreuze das richtige Wort an
und schreibe den Namen.

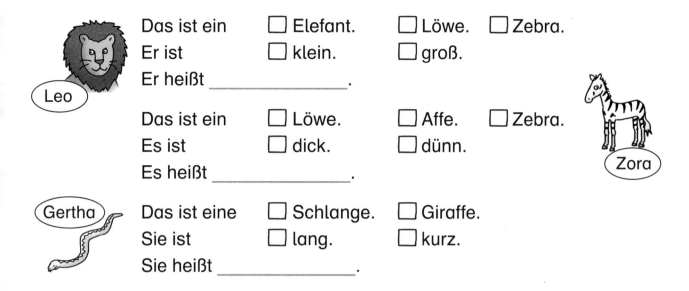

Das ist ein ☐ Elefant. ☐ Löwe. ☐ Zebra.
Er ist ☐ klein. ☐ groß.
Er heißt _____.

Das ist ein ☐ Löwe. ☐ Affe. ☐ Zebra.
Es ist ☐ dick. ☐ dünn.
Es heißt _____.

Das ist eine ☐ Schlange. ☐ Giraffe.
Sie ist ☐ lang. ☐ kurz.
Sie heißt _____.

3 Kennst Du die Tiere?
Löse das Rätsel.

4 Bilde Sätze.

Schlange – lang – ist – Die
Die Schlange ist lang.

dick – Nashorn – ist – Das
_____.

Der Elefant – groß – und – sind – der Bär
_____ und _____.

Affe – Der – klein – ist
_____.

Kleine Wiederholung

 1 **Ergänze die Sätze.**

Amanda _____ ein____ _____.

Er ist _____ und kostet _____ Euro.

Linus _____ ein____ _____.

Sie ist _____ und kostet _____ Euro.

 2 **Mein oder dein?**

Das ist _____ Fisch.　Das ist _____ Hamster.　Das ist _____ Kaninchen.

3 **Richtig oder falsch?**　　　　　　　　　　　richtig falsch

Mister Fleck hat vier Decken.　☐　☐
Mister Fleck hat fünf Puppen.　☐　☐

Amanda hat sechs Teddys.　☐　☐
Amanda hat sieben Kissen.　☐　☐

 4 **Bilde Sätze.**

ist – Elefant – Der – dick　　　　lang – Die – ist – Schlange

_____.　　_____.

groß – ist – Das – Nashorn　　　klein – ist – Maus – Die

_____.　　_____.

Was ich schon auf Deutsch kann

Schau dir die Sätze gut an und überlege, was du schon kannst.
Dann mache einen Haken in die richtige Box.

👄 **Sprechen**   ☺   😐   ☹

Ich kann auf Deutsch

    … über meine Kleidung sprechen. ☐ ☐ ☐

    … bis 20 zählen. ☐ ☐ ☐

    … Nomen im Plural verwenden. ☐ ☐ ☐

    … über mein Zimmer sprechen. ☐ ☐ ☐

    … über Tiere sprechen. ☐ ☐ ☐

    … „mein", „dein", „sein" und „ihr" benutzen. ☐ ☐ ☐

    … über Gegensätze sprechen. ☐ ☐ ☐

Ich kann fragen,

    … was etwas kostet. ☐ ☐ ☐

    … wie ein Mensch oder ein Tier aussieht. ☐ ☐ ☐

Ich kann die Sachen in meinem Zimmer benennen. ☐ ☐ ☐

Ich kenne die Adjektive. ☐ ☐ ☐

Ich kenne den Plural. ☐ ☐ ☐

👁 **Lesen**

Ich kann die Texte in allen 12 Kapiteln lesen. ☐ ☐ ☐

✏ **Schreiben**

Ich kann die Wörter in allen 12 Kapiteln schreiben. ☐ ☐ ☐

👂 **Hören**

Ich verstehe alle Texte, wenn sie vorgelesen werden. ☐ ☐ ☐

Du hast sehr viel gelernt. Prima!
Du kannst jetzt schon viele deutsche Wörter. Mach weiter so!

Lösungen

Wie heißt du? Wie alt bist du? – Seiten 8/9

1 Ich heiße _____. Ich bin _____ Jahre alt.

2 1 – eins   2 – zwei   3 – drei   4 – vier
5 – fünf   6 – sechs   7 – sieben   8 – acht
9 – neun   10 – zehn

3 Wie alt ist Amanda? Sie ist acht Jahre alt.
Wie alt ist Murat? Er ist neun Jahre alt.
Wie alt ist Paul? Er ist vier Jahre alt.
Wie alt ist Mister Fleck? Er ist zwei Jahre alt.
Wie alt ist Linus? Er ist sieben Jahre alt.
Wie alt ist Evelin? Sie ist zehn Jahre alt.

4 Das ist Maria. Sie ist fünf Jahre alt.
Das ist Willi. Er ist acht Jahre alt.
Das ist Sara. Sie ist sieben Jahre alt.
Das ist Marlon. Er ist sechs Jahre alt.
Das ist Lene. Sie ist vier Jahre alt.
Das ist Ali. Er ist neun Jahre alt.
Das ist Mister Fleck. Er ist zwei Jahre alt.
Das ist Evelin. Sie ist zehn Jahre alt.
Ich bin _____ Jahre alt.

Die Familie – Seiten 10/11

1 Ich heiße Amanda. Mein Vater heißt Thomas.
Meine Mutter heißt Vicki. Mein Bruder heißt Paul.

2 Wie heißt du? Ich heiße Thomas.
Wie heißt du? Ich heiße Vicki.
Wie heißt du? Ich heiße Paul.

3

Der Großvater heißt Günter.	richtig
Amandas Vater hat eine Schwester.	falsch
Amandas Mutter hat eine Schwester.	richtig
Amanda hat drei Tanten und vier Onkel.	falsch
Paul und Amanda haben einen Hund, Mister Fleck.	richtig
Paul und Amanda sind Bruder und Schwester.	richtig

4 Mein Vater heißt _____.
Meine Mutter heißt _____.
Mein Bruder _____.
Meine Schwester _____.
Mein _____. Meine_____.

Schulsachen – Seiten 12/13

1 der Stift, die Schere, die Mappe, das Heft
das Buch, der Bleistift, die Banane,

2 das Lineal, der Spitzer, der Radiergummi,
die Schultasche, das Federmäppchen

3

der	die	das
der Bleistift	die Banane	das Federmäppchen
der Stift	die Mappe	das Lineal
der Spitzer	die Schultasche	das Buch
der Radier-gummi	die Schere	das Heft

4 zehn Bleistifte, neun Spitzer, zehn Federmäppchen,
acht Scheren, sieben Bücher, fünf Mappen,
vier Lineale, sechs Hefte, drei Schultaschen,
zwei Radiergummis

Das Klassenzimmer – Seiten 14/15

1 + Das ist ein Poster. Das ist ein Regal. Das ist ein

2 Stuhl. Das ist eine Kreide. Das ist ein Tisch. Das
ist ein Globus. Das ist ein Papierkorb. Das ist eine
Landkarte. Das ist ein Laptop. Das ist eine Tafel.

4 Ist das ein Tisch? Nein, das ist kein Tisch.
Das ist eine Tafel.
Ist das ein Schrank? Nein, das ist kein Schrank.
Das ist ein Regal.
Ist das eine Landkarte? Nein, das ist keine
Landkarte. Das ist ein Poster.
Ist das ein Papierkorb? Nein, das ist kein
Papierkorb. Das ist ein Globus.
Ist das ein Stuhl? Nein, das ist kein Stuhl.
Das ist ein Tisch.

Kleine Wiederholung – Seite 16

1 Das ist Josef. Er ist sieben Jahre alt.
Das ist Lina. Sie ist zehn Jahre alt.

2 Ich heiße Murat. Ich habe einen Vater, eine Mutter,
einen Bruder und eine Schwester. Mein Vater
heißt Hassan. Meine Mutter heißt Ayse. Meine
Schwester heißt Berfin. Mein Bruder heißt Kaya.

3

der:	die:	das:
der Stift	die Mappe	das Federmäppchen
der Spitzer	die Schere	das Buch
der Radier-gummi		

4 Ist das ein Tisch? Nein, das ist kein Tisch.
Das ist ein Papierkorb.
Ist das eine Landkarte? Nein, das ist keine
Landkarte. Das ist ein Globus.

Amanda und Murat im Hort – Seiten 18/19

1 Das Sofa ist rot. Das Kissen ist blau. Die Pflanze
ist grün. Der Vorhang ist gelb. Der Stuhl ist weiß.
Die Tafel ist schwarz. Der Blumentopf ist braun.
Johnnys T-Shirt ist lila. Amandas Hose ist rosa.
Murats Hose ist orange.

2 Meine Hose ist _____ und mein T-Shirt ist

_____.

3

malen	**hören**
ich male	ich höre
du malst	du hörst
er, sie, es malt	er, sie, es hört

spielen	**trinken**
ich spiele	ich trinke
du spielst	du trinkst
er, sie, es spielt	er, sie, es trinkt

Amanda trinkt. Kaya hört ein Lied. Linus malt.

4 Mister Fleck hört Musik. Du malst in dein Heft.
Linus spielt mit dem Ball. Ich singe ein Lied.
Er malt an die Tafel. Sie trinkt ein Glas Wasser.

Auf dem Schulausflug – Seiten 20/21

2 Eule Evelin sitzt rechts. Mister Fleck sitzt links.

3 Ich gehe geradeaus. Dann gehe ich nach rechts
und wieder geradeaus. Danach gehe ich nach links
und geradeaus. Dann gehe ich links um die Ecke
und wieder geradeaus. Ich gehe nach rechts und
geradeaus. Jetzt gehe ich wieder nach rechts
und geradeaus. Dann gehe ich rechts um die Ecke.
Wie schön, jetzt bin ich in der Mitte angekommen.

Im Hof – Seiten 22/23

1 Amanda schreibt in ein Heft. Paul springt mit einem
Seil. Murat klettert auf einen Baum. Mister Fleck
rennt hinter dem Ball her. Über den Kindern fliegt
Eule Evelin.

2 Amanda schreibt in ein Heft. Er klettert auf einen
Stuhl. Eule Evelin fliegt. Mister Fleck rennt dem Ball
nach. Sie springt mit dem Seil.

3 Ihr hört. Paul rennt. Amanda und Murat springen.
Wir fliegen. Ich spiele. Du schreibst.

4 Ich renne zum Ball. Wir springen auf die Tische.
Du spielst mit dem Ball. Ihr hört Musik.
Er schreibt in das Heft. Sie fliegt mit dem Flugzeug.

Abendessen – Seiten 24/25

1 Amanda isst eine Wurst und sie trinkt eine Tasse
Tee. Ihre Mutter Vicki isst ein Brot mit Käse und
trinkt ein Glas Wasser. Amandas Vater Thomas
trinkt eine Flasche Saft. Und Paul? Er isst einen
Hamburger.

2 Ich esse eine Pizza / ein Brot / einen Hamburger.
Du isst eine Pizza / ein Brot / einen Hamburger.
Er isst eine Pizza / ein Brot / einen Hamburger.
Sie isst eine Pizza / ein Brot / einen Hamburger.
Es isst eine Pizza / ein Brot / einen Hamburger.
Wir essen eine Pizza / ein Brot / einen Hamburger.
Ihr esst eine Pizza / ein Brot / einen Hamburger.
Sie essen eine Pizza / ein Brot / einen Hamburger.

3 Amanda isst eine Wurst. Paul isst einen Hamburger.
Vicki trinkt ein Glas Wasser. Thomas trinkt eine
Flasche Saft.

Murat isst eine Birne. Murat isst ein Eis.
Murat isst eine Pizza. Murat isst einen Schokoriegel.
Murat isst einen Apfel. Murat isst eine Banane.

4 Mister Fleck isst eine Wurst. Du trinkst eine Tasse
Tee. Wir trinken eine Flasche Saft. Du isst einen
Hamburger.

Kleine Wiederholung – Seite 26

1 Der Ball ist grün und schwarz.

Die Hose ist blau.

Der Blumentopf ist lila.

Das Kissen ist gelb.

2 Ich schreibe einen Brief. Du kletterst auf einen
Baum. Er singt ein Lied. Wir malen ein Bild.

3 Du trinkst ein Glas Wasser. Berfin malt in ein Heft
Amanda springt mit dem Seil. Murat hört ein Lied.

4 Amanda isst eine Pizza. Murat isst einen Hamburger. Paul trinkt eine Tasse Tee. Thomas trinkt
ein Glas Wasser.

Einkaufen – Seiten 28/29

1 Das T-Shirt kostet dreizehn Euro.
Der Mantel kostet neunzehn Euro.
Das Kleid kostet elf Euro.
Die Hose kostet zwölf Euro.
Die Mütze kostet fünfzehn Euro.
Der Pullover kostet achtzehn Euro.
Die Jacke kostet siebzehn Euro.

2

Amanda hat einen Mantel.	
Der Mantel ist blau.	falsch
Amanda hat einen Pullover. Er ist grün.	richtig
Murat hat eine Hose.	
Sie kostet neunzehn Euro.	richtig
Murat hat einen Pullover.	
Er kostet zwölf Euro.	falsch
Paul hat eine Jacke. Sie ist orange.	falsch
Paul hat eine Mütze. Sie ist gelb.	richtig

3

Lösungen

4 Die Hose ist blau. Sie kostet sechzehn Euro.
Das T-Shirt ist rot. Es kostet fünfzehn Euro.
Die Jacke ist weiß. Sie kostet zwanzig Euro.
Die Mütze ist orange. Sie kostet zwölf Euro.

Haustiere – Seiten 30/31

1 Onkel Nils hat fünf Haustiere.
Amanda hat zwei Haustiere.

2 Das ist mein Kanninchen. Das ist meine Katze.
Das ist mein Fisch. Das ist nicht mein Hund.

Das ist dein Hund. Das ist deine Eule.
Das ist nicht dein Hamster. Das ist mein Hamster.

3 Sein Kaninchen ist braun. Sein Goldfisch ist gelb.
Sein Vogel ist grün. Seine Katze ist schwarz.

Ihr Hund ist schwarz und weiß. Ihre Eule ist braun.
Und die Maus? Das ist nicht ihre Maus.

Amandas Zimmer – Seiten 32/33

1 Amanda hat vier Puppen. Sie hat zwei Bücher.
Amanda hat zwei Decken. Sie hat drei Kissen.
Amanda hat drei Teddys. Sie hat zwei Vögel.

2 In meinem Zimmer sind: ein Bett, zwei …

3

die Puppe	die Puppen
das Kissen	die Kissen
die Lampe	die Lampen
der Teddy	die Teddys
die Decke	die Decken
die CD	die CDs
das Bett	die Betten
das Zimmer	die Zimmer
das Buch	die Bücher
der Teppich	die Teppiche
der Wecker	die Wecker
der Vogel	die Vögel
der Stuhl	die Stühle
das Bild	die Bilder

Tiere im Zoo – Seiten 34/35

1

Die Giraffe ist groß.

Der Affe ist klein.

Der Elefant ist dick.

Das Zebra ist dünn.

Die Schlange ist lang.

Der Käfer ist kurz.

Das Nashorn ist schwer.

Die Maus ist leicht.

2 Das ist ein Löwe. Er ist groß. Er heißt Leo.
Das ist ein Zebra. Es ist dünn. Es heißt Zora.
Das ist eine Schlange. Sie ist lang. Sie heißt Gertha.

3

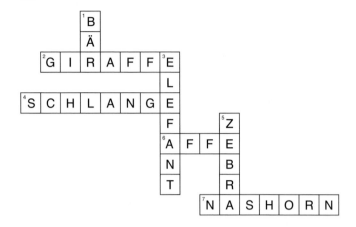

4 Die Schlange ist lang. Das Nashorn ist dick. Der Elefant und der Bär sind groß. Der Affe ist klein.

Kleine Wiederholung – Seite 36

1 Amanda hat einen Mantel.
Er ist rot und kostet neunzehn Euro.
Linus hat eine Jacke.
Sie ist grün und kostet zwanzig Euro.

2 Das ist mein Fisch. Das ist dein Hamster.
Das ist ihr Kaninchen.

3 Mister Fleck hat vier Decken.   richtig
Mister Fleck hat fünf Puppen.   falsch
Amanda hat sechs Teddys.   falsch
Amanda hat sieben Kissen.   richtig

4 Der Elefant ist dick. Die Schlange ist lang.
Das Nashorn ist groß. Die Maus ist klein.